Kazuo Iwamura

Sous l'orage

Mijade

C'est un bel après-midi d'été.
Nic, Nac et Noc, les petits écureuils,
vont jouer dans le pré voisin.

Une grenouille soupire dans l'ombre.
«Il fait si chaud aujourd'hui!»
C'est vrai. Même l'herbe
et les fleurs restent immobiles.
Mais nos petits écureuils, eux,
jouent avec entrain
comme à l'accoutumée.

Soudain, des oiseaux traversent le ciel.
« Sauvez-vous ! » crient-ils. « L'orage arrive ! »
« Voilà une bonne nouvelle ! »
croasse la grenouille, soulagée.
« Oh zut, il faut rentrer chez nous »,
dit Nic aux deux autres.

De grosses gouttes commencent à tomber.
PLIC ! PLOC ! PLIC ! PLOC !
« On va être tout mouillés ! » s'écrient les écureuils.
Et ils courent le plus vite qu'ils peuvent.
La pluie crépite sur l'herbe.

« Vite, par ici ! »
Nic a trouvé un abri
à la lisière de la forêt.

«Regardez, il y a déjà quelqu'un!»
Deux petites souris, un frère et une sœur,
ont trouvé refuge sous la grosse racine.
«Vous aussi, vous avez été surpris par l'orage?»
demandent les écureuils.
«En effet», répondent les deux souris.

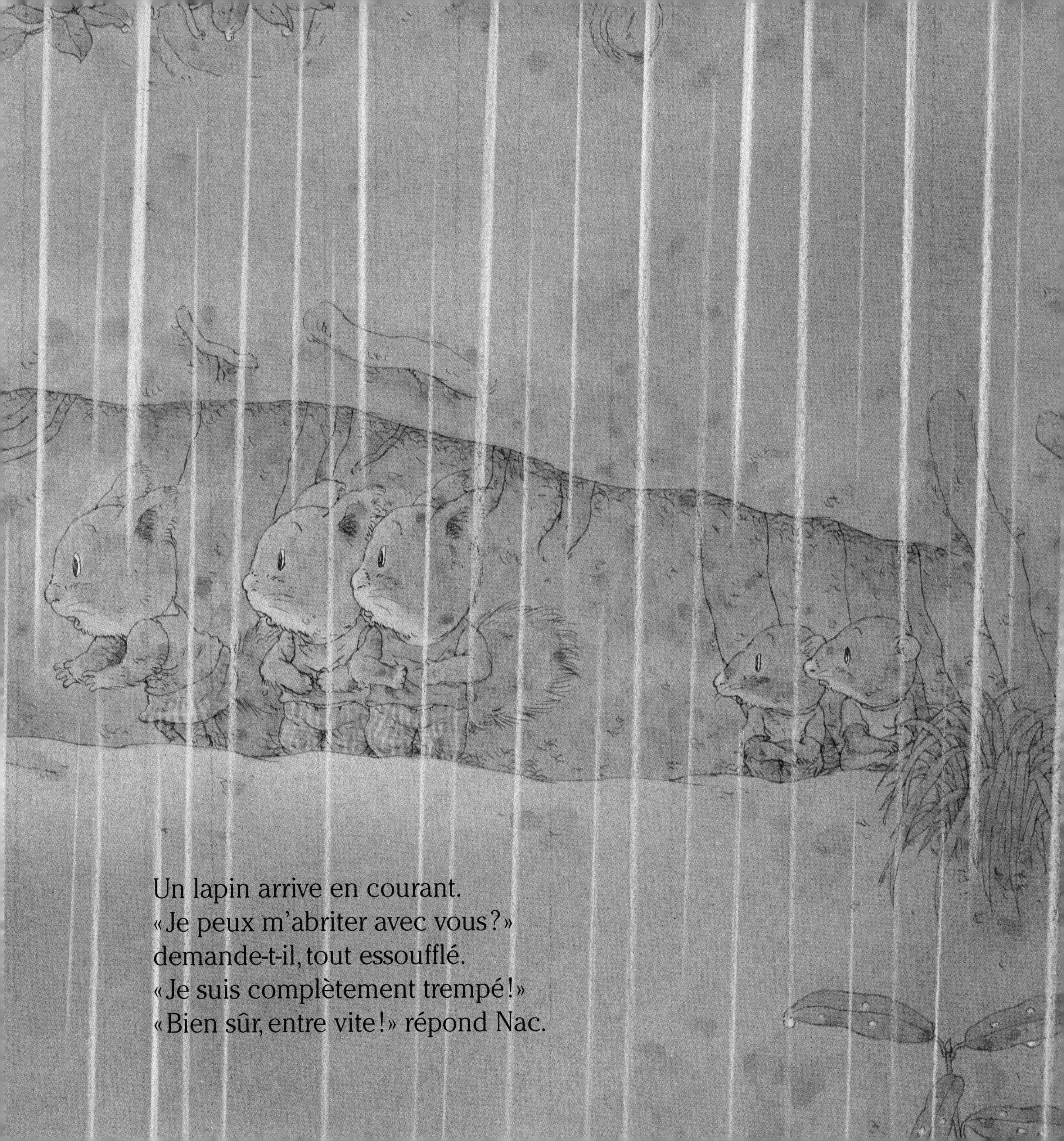

Un lapin arrive en courant.
« Je peux m'abriter avec vous ? »
demande-t-il, tout essoufflé.
« Je suis complètement trempé ! »
« Bien sûr, entre vite ! » répond Nac.

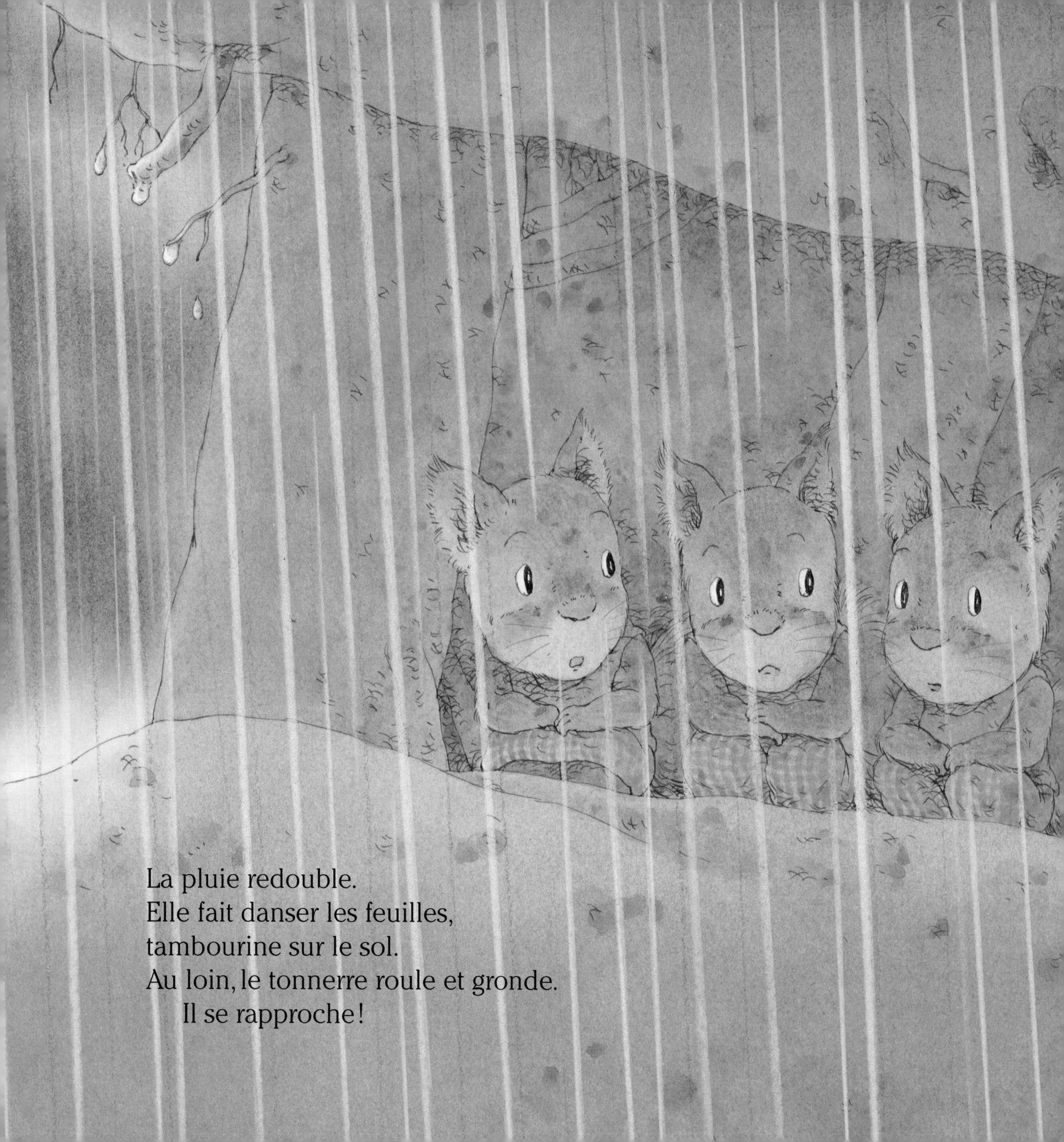

La pluie redouble.
Elle fait danser les feuilles,
tambourine sur le sol.
Au loin, le tonnerre roule et gronde.
Il se rapproche !

CRAC ! BOUM !
Un éclair déchire le ciel.
La foudre est tombée tout près.
Tout le monde ferme les yeux.
Chacun se serre contre son voisin.

La petite sœur souris tremble de frayeur.
«Maman!» crie-t-elle.

Enfin, le ciel s'éclaircit
et le tonnerre s'apaise.
« L'orage s'éloigne », dit Nac.
Dehors, des gouttes perlent encore
à l'extrémité des feuilles.
Une dernière larme glisse
sur la joue de la petite souris.

«Et si on allait jouer tous ensemble ?»
propose soudain Nic.
Une brise légère souffle sur la prairie
et l'herbe mouillée étincelle au soleil.

« Vous savez quoi ? » dit Noc.
«Nous sommes les amis de l'orage !
Car c'est l'orage qui nous a réunis,
qui a fait de nous des copains. »
Et ils jouent ainsi tout le jour,
jusqu'à l'heure où les grillons
commencent à s'appeler l'un l'autre,
cachés dans l'herbe haute…

Vous connaissez sûrement ces terribles orages
qui s'abattent brusquement, certains après-midi d'été.
Le tonnerre gronde et la pluie tombe aussi dru
qu'une volée de flèches. Le ciel s'assombrit comme si la nuit venait,
ce qui rend les éclairs encore plus impressionnants.

Que font papa et maman écureuil
pendant que leurs petits sont dehors, sous l'orage ?
Peut-être maman s'est-elle précipitée pour ramasser le linge qui séchait
et regarde-t-elle à présent par la fenêtre, rongée d'inquiétude.
Papa la rejoint et lui dit: « Allons, tu connais nos enfants…
ils savent où trouver un abri par un temps pareil. »
Et sur ces mots, il pose les mains sur les épaules
de maman écureuil et il lui sourit.

Kazuo Iwamura

16-18, rue de l'Ouvrage
B-5000 Namur
Texte français de Laurence Bourguignon

Edition originale:
Yudachi no tomodachi
Shiko-Sha (Tokyo)

Imprimé en Chine

D/2004/3712/36
ISBN 2-87142-413-6